Benjamin et le club Secret

Pour Mira — P.B.

Pour Robin et ses amis — B.C.

ISBN : 0-439-00432-2

Titre original : Franklin's Secret Club

Édition publiée par Les éditions Scholastic, 175, Hillmount Road, Markham (Ontario) L6C 1Z7, avec la permission de Kids Can Press Ltd.

54321 Imprimé à Hong-Kong 89/901234/0

Benjamin et le club Secret

Texte de Paulette Bourgeois
Illustrations de Brenda Clark

Texte français de Christiane Duchesne

Les éditions Scholastic

Benjamin sait compter par deux et nouer ses lacets. Il aime les sports d'équipe et les jeux en groupe. Benjamin fait partie du choeur de chant de l'école et de l'atelier d'arts plastiques. Il aime faire partie d'un groupe et c'est pourquoi il a décidé de fonder son propre club.

Un jour, Benjamin découvre une cachette tout près de chez lui. C'est l'endroit parfait pour un club.

— Nous pourrions avoir un mot de passe et un signe secret, confie Benjamin à Martin l'ourson.

— Et des repas secrets? demande Martin plein d'espoir.

— Avec des recettes secrètes, ajoute Benjamin en riant.

La cachette est très confortable, mais trop petite pour plusieurs.

— Voilà, dit Benjamin. C'est juste assez grand pour Arnaud Escargot et Basile Lapin. Demandons-leur de se joindre à nous.

Tous ensemble, Arnaud, Basile, Benjamin et Martin installent leur maison.

Ils choisissent un nom : le club Secret.

Les membres du club se réunissent chaque jour, après l'école. Ils mangent des muffins aux bleuets et fabriquent des téléphones en boîtes de conserve. Ils font des bracelets en macaroni et s'en font cadeau.

Benjamin est tellement occupé par toutes ces activités secrètes qu'il en oublie presque ses autres amis.

À l'école, tout le monde est très gentil avec Benjamin. Surtout Lili Castor.

Trois jours de suite, elle lui réserve une place dans l'autobus. Elle lui offre le meilleur de son goûter. Elle aide même Benjamin à ranger après l'atelier d'art.

— Merci Lili, dit Benjamin.

— Maintenant, dit Lili en souriant, est-ce que je peux faire partie de ton club?

Benjamin est bien étonné. Il ne sait pas que ses autres amis veulent faire partie de son club.

— Désolé, Lili, dit Benjamin. La maison du club est trop petite.

— Ce n'est pas une bonne raison dit Lili. Et puis, ce n'est pas chic. Je vais fonder mon propre club.

— Mais..., commence Benjamin.

Lili s'en va, fâchée.

Après l'école, le club de Benjamin organise une chasse au trésor. La colère de Lili a tellement bouleversé Benjamin qu'il ne trouve rien du tout.

— J'ai dit à Lili qu'il n'y avait pas assez de place pour de nouveaux membres, explique Benjamin à Arnaud et à Basile.

Ils hochent tristement la tête.

Le lendemain, Benjamin et Martin échangent leur poignée de main secrète — on tape deux fois dans les mains et on chatouille — et murmurent leur mot de passe : «Bleuet».

Martin bat des bras, agite les doigts, plisse le nez et dit :

— Flip, flop, plic ploc, ding dong et pataploc!

— Quoi? fait Benjamin.

— C'est le signe secret et le mot de passe du Club des Aventuriers, le club de Lili. C'est Raffin Renard qui m'a montré.

— Oh! dit Benjamin.

Les membres du club Secret passent leur temps à jouer.

Benjamin s'amuse, mais il a entendu dire que le club de Lili est encore plus excitant.

— Aujourd'hui, au club des Aventuriers, on fait des fouilles pour découvrir des dinosaures, dit Arnaud.

— Le club des Aventuriers est drôlement passionnant! soupire Martin.

— Drôlement, dit Benjamin.

Benjamin essaie de trouver des activités secrètes encore plus excitantes. Les membres du club Secret apprennent à écrire des lettres invisibles avec du jus de citron et, un jour, ils inventent un code secret.

Mais le même jour, le club des Aventuriers organisent un voyage dans la lune.

Peu de temps après, Benjamin et les membres de son club vont voir le quartier général du club de Lili.

Il y a une maison dans l'arbre dans laquelle on peut grimper, un pneu pour se balancer, une tente pour jouer et une affiche qui dit : «Réservé aux membres».

Benjamin a follement envie de faire partie du club des Aventuriers.

— Maintenant je comprends Lili, dit-il tristement. Elle s'est sentie abandonnée.

Tout à coup, Benjamin a une idée.

— Invitons les Aventuriers à se joindre à nous. Comme ça, *personne* ne se sentira abandonné, déclare-t-il.

— Mais il n'y a pas assez de place, dit Martin.

— Nous tiendrons nos réunions dehors, dit Benjamin. Il y a bien assez d'espace.

Benjamin fait donc son invitation.
– Je m'excuse de t'avoir délaissée, dit Benjamin.
Lili accepte ses excuses.
– Je m'excuse de t'avoir délaissé, moi aussi, dit Lili.
– Le club des Aventuriers est un bon club, dit Benjamin. Le club Secret aussi. Mais si nous mettons les deux ensemble, ce sera encore meilleur.
Lili approuve l'idée, et les deux clubs n'en forment plus qu'un.

Tout le monde est excité. Les membres du club de Lili veulent apprendre des choses secrètes. Ceux du club de Benjamin veulent faire des découvertes.

Le nouveau club s'appelle le club des Aventuriers secrets. Le mot de passe devient : Flip flop, ding dong, bleuet et pataploc!

Lorsque deux membres se rencontrent, ils battent des bras, agitent les doigts, plissent le nez et se donnent deux tapes dans les mains sans oublier le chatouillement.

Lili fait une affiche pour leur quartier général. On y lit : « Le club des Aventuriers secrets». Benjamin en fait une autre sur laquelle on peut lire : «Bienvenue à tous».

Il veut que personne ne se sente abandonné.